Ernest et Étienne

Ernest et Étienne

Bernard Dugas
Bertrand Dugas
Rychard Thériault

éditions d'acadie

L'éditeur désire remercier la Direction des arts du Nouveau-Brunswick et le Conseil des arts du Canada pour leur contribution à la réalisation de ce livre.

Les auteurs désirent remercier le Conseil des arts du Canada, dans le cadre du projet «Exploration», pour leur soutien financier lors de l'écriture de cette pièce.

Couverture : Joanne Duguay

Mise en pages : Charlette Robichaud

Photo de la page 9 : Images du Nord enr.

Illustration de la couverture : fusain de Michèle-Anne Théberge-Zaharia, «Bernard et Bertrand ou spectre des comédiens jumeaux»

ISBN 2-7600-0234-9

© Les Éditions d'Acadie, 1993
    C.P. 885
    Moncton (N.-B.)
    E1C 8N8
    Canada

VILLE DE MONTREAL

3 2777 0045 2161 8

Ernest et Étienne

a été crée le 27 juillet 1988
au Théâtre Populaire d'Acadie
Caraquet (N.-B.)

Mise en scène de **Rychard Thériault**
Scénographie et costumes d'Alain Tanguay
Éclairages d'Étienne Savoie
Musique de Jacques Gautreau
Régie d'Allain Roy

Les interprètes
**Bernard Dugas
et Bertrand Dugas**

Une production du Théâtre Populaire d'Acadie et du
Centre national des Arts

Les personnages

Étienne :   L'aîné des jumeaux
Ernest :   Le cadet des jumeaux
Florence :   L'amie d'Ernest
Maria :   La mère
Thomas :   Le père
Pépère :   Le grand-père maternel
Les oncles : Alphonse, Walter
Les tantes : Edna, Émilienne, Laté

Bertrand Dugas et Bernard Dugas

Scène I

Ernest vit avec Florence depuis deux ans. La scène se passe à Moncton dans leur appartement.

Ernest	— Salut, Florence.
Florence	— Ah!... Salut.
Ernest	— Ça va?
Florence	— Hum, hum.
Ernest	— Tu t'es pris du vin?
Florence	— Oui.
Ernest	— Je vais m'en prendre un verre.
Florence	— (*Un temps.*) J'ai fait à souper. C'est peut-être encore chaud si ça te tente d'en manger.
Ernest	— J'ai pas vraiment faim. J'ai pris une bouchée tout à l'heure avec Étienne.
Florence	— (*Un temps.*) Es-tu passé chercher ma robe?
Ernest	— Hum, hum. Je l'ai accrochée en rentrant. J'ai passé chercher des films pour ce soir.
Florence	— Qu'est-ce que t'as pris?
Ernest	— Une cassette du «Festival des films publicitaires», puis «L'amour foudre».
Florence	— «L'amour foudre». Ah! je l'ai déjà vu. On l'avait vu ensemble.
Ernest	— C'est pas grave, on le regardera de nouveau. Étienne a dit qu'il allait peut-être venir faire un tour pour l'écouter.
Florence	— Ce soir?
Ernest	— Oui.
Florence	— (*Un temps.*) Je pense que je vais me coucher de bonne heure ce soir.

Ernest	— T'es fatiguée?
Florence	— Oui, c'est ça, je suis fatiguée.
Ernest	— Qu'est-ce qu'y se passe? On dirait que tu *feel* pas. Ça va pas au bureau?
Florence	— Non, non, c'est pas le bureau. (*Un temps.*) C'est pas du tout le bureau. De toute façon, ça donne rien d'en parler.
Ernest	— De quoi?
Florence	— (*Un temps.*) Tu vois pas, ou tu veux pas voir?
Ernest	— Qu'est-ce qu'y a encore?... C'est parce qu'Étienne vient ce soir?
Florence	— C'est parce qu'Étienne vient ce soir...
Ernest	— Bon! De toute façon, chaque fois qu'il est question de lui, c'est la même chose. Je l'ai rencontré sur la rue, on a été prendre un café. On a oublié l'heure, il était six heures et demie quand on est sortis. Ça te va, là. Ben Flo, je me suis pas rendu compte...
Florence	— Justement, tu te rends pas compte... tu te rends pas compte de l'espace que cet homme-là prend dans ta vie. Tu te vois pas faire avec lui.
Ernest	— Qu'est-ce que tu veux que je fasse, que je le vois plus?
Florence	— Je te demande pas de plus le voir, juste de le mettre à sa place.
Ernest	— Ah! parce que, pour toi, il devrait avoir une place! D'après toi, c'est quoi, sa place?

Florence	— Une place de frère, c'est simple.
Ernest	— C'est pas mon frère, c'est mon jumeau.
Florence	— Même si c'est ton jumeau, y a des limites en quelque part... c'est ridicule... tu peux pas passer une journée sans parler de ce jumeau-là, sans lui téléphoner, sans le voir ou sans que ton jumeau te voie.
Ernest	— Écoute donc, c'est quoi ton problème?
Florence	— C'est ben de valeur, Ernest, c'est pas mon problème. Étienne, tout ce qu'il fait, il se sert de toi. Il est temps que tu t'ouvres les yeux, il se sert de toi!
Ernest	— C'est ça, exagère asteure.
Florence	— Ce que tu comprends pas, c'est qu'on est à sa merci. Regarde, regarde seulement le film ce soir. On l'avait déjà vu. Pourquoi t'as pris ça? C'est comme ça tout le temps, pour tout.
Ernest	— Tu trouves toujours le moyen de tout lui mettre sur le dos. Tiens, l'été passé, quand on est allés le chercher à Mirabel pendant nos vacances... il n'avait plus une cent, puis toi....
Florence	— Ouvre-toi les yeux! Qu'est-ce qu'il aurait fait si t'avais pas été là, penses-tu qu'il serait revenu à pied? Quand il est question d'Étienne, y a plus rien qu'existe.
Ernest	— Il aurait fait la même chose pour moi.
Florence	— Ça veut pas dire que ç'aurait été plus intelligent. On dirait même que t'es fier de te faire envahir par lui. Il a beau être à l'autre bout du

monde, tu vis toutes ses angoisses comme si c'était à toi que ça arrivait.

Ernest — Comprends donc que j'ai pas de contrôle là-dessus. Quand il était en Europe, je le savais même pas qu'il avait une peine d'amour. C'est là, ça vient tout seul.

Florence — On a déjà assez de nos problèmes de couple sans que tu ailles chercher ceux de ton jumeau.

Ernest — Je vais pas les chercher, ils viennent tout seuls! C'est la même chose pour Étienne. Je te l'ai dit qu'on pouvait pas contrôler ça.

Florence — Je comprends, je comprends que vous vivez quelque chose de particulier, mais des fois, je me demande si t'avais à choisir...

Ernest — Mais pourquoi j'aurais à choisir?

Florence — Parce que j'en ai assez de tout ça.

Ernest — Mais là, c'est toi qui m'obliges à choisir. Si tu fais ça, je suis pas sûr que tu seras pas perdante. De toute façon, t'as pas à me donner de choix. Je peux aimer plusieurs personnes à la fois, c'est des relations différentes, c'est tout.

Florence — Mais faut que tu saches les respecter, tes amours.

Ernest — Regarde, Flo, je vais t'expliquer quelque chose : mon jumeau, c'est la personne que j'aime le plus au monde, qui est dans ma vie depuis toujours...il fait partie de moi. Je peux pas le sortir de ma vie.

Florence	– Si c'est la personne que tu aimes le plus au monde, pourquoi tu vas pas vivre avec?
Ernest	– Parce que je veux être avec toi, Flo. Parce que je t'aime.
Florence	– C'est pas ce que tu viens de dire.
Ernest	– J'arrive pas à trouver les mots... J'ai besoin de vous deux. J'ai autant besoin de toi que de lui. Mais vous êtes dans deux mondes différents : y a des choses que j'ai vécues avec Étienne que je vivrai jamais avec personne d'autre...
Florence	– Parce que tu le veux pas.
Ernest	– Voyons, Flo!...
Florence	– Peux-tu me dire, depuis qu'Étienne est revenu d'Europe, quand est-ce qu'on s'est assis pour jaser tous les deux, seulement toi et moi. Tu passes les trois quarts de ta vie avec cet homme-là... À part le sexe, qu'est-ce qu'on vit ensemble?
Ernest	– Calvaire! Si c'est à ce niveau-là que tu veux qu'on discute, c'est bien de valeur, tu m'auras pas. Ça donne rien de dire des bêtises, faut que t'essayes de comprendre ce qu'y a là. Y a des choses entre moi puis Étienne que je retrouverai jamais ailleurs et surtout que je veux pas perdre. Tu peux dire...
Florence	– Justement, Ernest, pour pas le perdre, tu ferais des pieds et des mains! Tu te garrocherais dans le feu pour pas le perdre, cet homme-là.

Ernest   — Oui, je me garrocherais dans le feu!

Florence   — Maudit! Y a quelque chose qui marche pas là... Y a quelque chose de pas normal. Tout ce que t'essaies de me faire comprendre depuis le début, c'est que c'est le plus grand amour de ta vie, puis là t'es en train de me dire que tu l'aimes tellement que tu serais prêt à mourir pour lui. Réalises-tu ce que tu dis... mourir pour aimer? C'est pas vrai, Ernest... C'est pas vrai, ces histoires d'amour-là. Arrête de te dédoubler, arrête de te faire croire que t'as deux vies... C'est pas vrai, le grand amour dans deux mondes différents. C'est seulement des amours différents dans ta vie à toi. Tant que tu voudras pas voir ça, y en aura toujours un qui sera perdant... Tu te caches derrière des mots, Ernest. Tu parles de générosité, de respect, d'harmonie. Tu crois que c'est ça que tu vis avec Étienne? Tout ce que je vois, moi, c'est de la soumission, des faux compromis puis surtout de la peur.

Ernest   — Arrête, Flo... ça m'étouffe... J'ai l'impression de tomber dans le vide, dans un trou, Flo...

Scène II

Mi-novembre 1954, à Mallet Office (*middle of nowhere*), au Nouveau-Brunswick. Maria 31 ans, et Thomas 33 ans.

Thomas	— J'ai finalement passé voir Joe Downing à matin pour acheter la coupe de bois sur sa terre... Je pense que ça va marcher.
Maria	— Ça serait bon pour les affaires, hein?
Thomas	— Oui. Tu sais pas ce qu'y m'a demandé?... Si je vendrais pas un de mes *trucks*.
Maria	— Ah oui!
Thomas	— Je peux pas dire que ça m'intéresse pas. De toute façon, j'avais envie de les changer à l'été.
Maria	— T'en achèterais des neufs?
Thomas	— Ah oui, moi là, acheter le trouble des autres, ça m'intéresse pas!
Maria	— Tu les prendrais chez Chiasson?
Thomas	— Non! non! Chiasson là, y est un petit peu trop pétant à mon goût. Je vais y montrer que je suis pas amarré à Ford, moi là. Des *dealers*, y en a à Bathurst aussi!
Maria	— J'ai vu sa femme avec ses jumelles chez le docteur, après-midi.
Thomas	— Ah!...
Maria	— On dira ce qu'on voudra, y ont deux belles petites jumelles.
Thomas	— Ses jumelles! *Goddamn* de Raymond, y s'en a assez vanté. Blasphème, c'est comme si y avait fait la tour Eiffel sur le bout de la dune à Maisonnette! Jimmy Landry en a eu, puis y a pas fait le harouche que Raymond a fait avec ça.

Maria	— En tous cas, elle a été chanceuse des rendre à terme, ses jumelles, parce que le dernier, y s'est développé dans une trompe. Y ont été obligés de l'opérer.
Thomas	— Ç'a ben été?
Maria	— Pas tellement... Le docteur lui a parlé qu'y serait peut-être obligé de lui faire la grande opération.
Thomas	— C'est dur d'avoir des enfants après ça.
Maria	— Ben non, y peuvent plus en avoir, y enlèvent toute.
Thomas	— Ah!...
Maria	— De toute façon, elle a fait sa part, ça y en fait sept.
Thomas	— Comme nous autres, avec celui-là qui s'en vient.
Maria	— On va la dépasser, là, nous autres...
Thomas	— On va la dépasser?...
Maria	— Ben y a du nouveau.
Thomas	— Tu veux dire que...
Maria	— Y en a deux!
Thomas	— Des jumeaux? T'attends des jumeaux?
Maria	— Puis avec les cheveux secs comme je les ai, je te garantis que c'est des gars.
Thomas	— Ma petite Mia qu'attend des jumeaux. Ah ben blasphème! J'en ai fait deux!

Maria	— Ah! Y a pas juste toi qui les as faits.
Thomas	— Oui, oui, ben sûr, ben sûr...
Maria	— Je vais te dire, quand le docteur m'a dit qu'y entendait deux cœurs, ça m'a pas surpris.
Thomas	— Tu dis ça, hein, mais quand je les ai faits, c'était pas pareil... Je sais pas si je me suis plus entremêlé les pieds dans les couvertes... En tout cas, c'était pas pareil. Des jumeaux, tabarnac!
Maria	— Commence pas à sacrer, cher.
Thomas	— Attends quand ça va arriver, ces jumeaux-là... On va en faire un *party* ! *Hey* je suis fier!
Maria	— Quand tu en fais deux, là... je sais pas, c'est comme une gloire.
Thomas	— Je vais toujours ben pouvoir *clacker* Raymond Chiasson qui s'énerve avec ses jumelles ça fait deux ans! Crains pas, y va se taire le *chrips* de faro, je vais y dire : «Fanfaronne-toi pas, t'es pas le seul à être capable; moi aussi, j'en ai fait deux, puis c'est des gars, sacrement!»

Scène III

C'est le début des années soixante, au milieu des réunions familiales. Ernest et Étienne ont entre cinq et huit ans.

Thomas	— En tout cas, ç'a été toute une fierté d'avoir eu ça, ces jumeaux-là. Puis pourtant, c'est pas les seuls enfants que j'ai, je suis rendu à mon dixième!
Alphonse	— Veux-tu ben me dire comment t'as fait pour faire ça?
Thomas	— Ah! ça, Alphonse, c'est un secret!
Alphonse	— Un secret! Maudit sarf, maudit sarf...

Émilienne	— C'est-tu pas trop beau, deux petits pareils endimanchés de même. Puis y ont l'air en santé...
Maria	— Oui, y sont en santé. Ça arrive qu'y en a un qui pogne une petite grippe là... Ben sûr, l'autre le suit pas loin en arrière...
Émilienne	— Garde si c'est pas fin, hein!
Maria	— Oui, c'est fin, hein!

Pépère	— Leur père les apporte avec lui sur la *run* de lait... Hé! y aiment ça! Hein? Quand papa vous donne chacun une *quarte* de lait puis qu'y vous envoie aux maisons, vous aimez ça les petits jumeaux? Tu peux voir si le monde jase pas quand y voit ces deux petits bons-hommes-là arriver...
Laté	— Ben moi, quand je les ai vus dans le cadre de la porte avec chacun une *quarte* de lait, j'ai cru que je voyais double... (*Elle rit.*) J'ai dit :

«Ah ben mon Dieu! matante Laté a oublié de mettre ses lunettes.» (*Elle s'esclaffe.*)

Edna
— Dieu merci! Le ciel m'a épargné d'en avoir deux d'un coup! Pauvre Maria, ça doit-tu être de la misère, avoir deux enfants tout d'un coup comme ça.

Maria
— Ah! c'est pas plus d'ouvrage, y s'occupent ensemble.

Edna
— Oui, c'est ça, je crois ben, y s'occupent... En tout cas, j'aime autant que ce soit toi que moi qui les aies. C'est peut-être ben *cute*, mais deux enfants dans les jambes, c'est deux enfants dans les jambes.

Walter
— Ça peut-tu se ressembler, des *goddamns* de bessons.

Pépère
— Étienne, par exemple, y aime pas ça se faire appeler besson. Y aime pas le mot! Y aime mieux se faire appeler jumeau.

Walter
— T'aimes pas ça? Ça t'énerve, hein?... Ben *goddamn!* ç'a pas tombé dans l'oreille d'un sourd. Tu connais pas Mononcle pour faire enrager.

Thomas
— Y étiont après s'amuser dans le fossé l'autre jour, puis y a deux Américains qui sont arrêtés: y leur ont donné chacun vingt-cinq cents pour les prendre en portrait.

Walter	— *Goddamn!* Tu devrais leur faire un *stand* au chemin, tu ferais une fortune avec ça!

Émilienne	— Y en a un qu'est plus grand que l'autre, hein Maria? Mettez-vous dos à dos pour matante...
Maria	— Mais, à la fin du mois, l'autre sera de la même grandeur.
Émilienne	— Ah! si c'est pas fin, hein!
Maria	— Ah oui! Au début du mois, y en a un qui grandit un peu plus, puis à la fin du mois, l'autre le rattrape.
Émilienne	— Toi, Laté, attends-tu des jumeaux?
Laté	— Ah! j'aimerais ben ça! Si j'en ai pas, je volerai ceux-là à Maria! Je les volerai... Ah! je te dis, je les volerai! Hein, les bessons, matante va vous voler! Elle va vous voler! (*Elle rit.*) Ah! c'est ben simple, je suis jalouse de Maria!
Émilienne	— Tu l'avoues, au moins : «Péché avoué, péché pardonné.»
Laté	— C'est parfait, ça; j'aurai pas besoin d'aller à confesse. (*Elle rit.*)
Edna	— (*À mi-voix.*) Pitsss... Y paraîtrait qu'y en a un qui est venu au monde bleu.
Laté	— Ah oui! Chanceux qu'y a changé de couleur.
Edna	— Y savent pas si ça y a attaqué le cerveau.
Laté	— Qu'est-ce qu'y a, y est pas intelligent?

Edna	— Y pogne comme des rages, y paraît.
Laté	— Des rages?
Edna	— Oui, y paraît qu'y vient comme malin. Y perd, y perd les nerfs... y tombe comme dans les bleus.
Laté	— Y retient de son père. (*Elle éclate de rire.*)

Pépère	— Y se ressemblent, ben y a des petites différences...
Alphonse	— Attendez voir que je *check* ça. Ah ben oui! Y en a un qui est plus laid que l'autre. (*Il rit.*)
Pépère	— Ben non, cher, vous êtes aussi beaux l'un comme l'autre. Mononcle Alphonse est attineux.
Alphonse	— Mononcle vous attine, hein!... Y vous attine. (*Il rit.*) Moi, en tous cas, j'aurais de la misère à les reconnaître, on dirait qui sont *printés* un sur l'autre... (*Il rit.*)
Edna	— Mais y a des différences. Dans la face, là, y en a un qui a plus la face à sa mère. Regardez ici, les jumeaux. Vois-tu la mâchoire, c'est plus large. L'autre, c'est la face à Thomas tout craché.
Alphonse	— Ah ben!...
Edna	— Oui, oui, même dans l'allure. Faites donc un tour, là... Promenez-vous un petit peu pour Mononcle. Regarde celui-là, l'allure à Thomas, le port d'épaules... l'air coq comme son père, nerré comme Thomas. (*Alphonse rit.*)

Thomas	— Ben regarde comme y faut!
Walter	— *Goddamn!* Tu dis ça, y en a un qui est plus gros que l'autre.
Thomas	— Le deuxième, un petit brin. Y est plus gros, mais y est moins débrouillard que le premier, par exemple.

| Laté | — Puis t'aimes pas ça, te faire appeler besson... non... ben matante Laté, elle connaît pas ça des jumeaux, elle connaît juste des bessons. (*Elle rit.*) |

| Edna | — Riez donc un petit peu que matante voie lequel des deux a les dents croches... Ah bon! C'est toi, Étienne. Matante te promet qu'elle se trompera plus, cher. |

| Alphonse | — Vous devriez en estropier un, y seriont plus faciles à reconnaître. |

| Émilienne | — Matante vous a apporté chacun un beau petit chapelet. C'est fin, hein? Matante les a pas pris de la même couleur pour que le petit Jésus puisse démêler vos petites prières. |

| Maria | — Enlève pas ton chandail, Ernest, vous serez plus habillés pareil. |

Pépère	— Allez vous cacher dans la grange, Pépère le dira pas à personne.

Walter	— Ces *goddamn* d'enfants-là! Chaque fois que je les vois, je m'imagine que je suis saoul. *Goddamn* qu'y se ressemblent hein?

Edna	— C'est rien, ça... t'as pas vu quand ça *steppe*.
Alphonse	— Non, non, non, tu me dis pas qu'y *steppent* tous les deux...
Émilienne	— Ah! garde si c'est pas fin!
Walter	— Ah ben *Goddamn* ! Tu les fais *stepper* !
Pépère	— Puis y *steppent* ben à part de ça!
Laté	— Qu'est-ce que t'attends, Thomas, pour les faire aller? (*Elle rit.*)
Thomas	— Envoyez, les jumeaux, *steppez*-nous ça! (*Les jumeaux se mettent à danser.*)

Scène IV

C'est l'été 1965. Étienne a dix ans. Il discute avec son grand-père.

Étienne	— Mon parrain est venu chez nous aujourd'hui.
Pépère	— Ah oui!... Y était parti travailler dans le Grand Nord?
Étienne	— Oui, y a amené des portraits. Y avait des gros ours.
Pépère	— Ah oui!
Étienne	— Des gros, gros ours blancs, y étaient comme... longs de même, là... puis gros de même.
Pépère	— *Geese!* Des gros nounours, hein!...
Étienne	— Y en a pas ici.
Pépère	— Non, y fait pas assez froid. Y en a juste des bruns.
Étienne	— Pourquoi y sont bruns, puis les autres sont blancs?
Pépère	— Ben, c'est simple, cher... Avant ça, y étions tous bruns, mais quand y ont traversé la ligne du pôle pour grimper dans le froid, y ont eu assez froid, là, c'est pas croyable... Puis la neige en tombant leur a toute pogné dans le poil... Tu sais, comme quand la neige poigne après tes mitaines, l'hiver?...
Étienne	— Oui.
Pépère	— Ben eux autres, ça leur a arrivé à la grandeur du corps, puis ç'a jamais fondu parce qu'y fait trop froid!
Étienne	— Ah! c'est ça!...
Pépère	— Oui, oui, oui...

Étienne	— Je vais dire ça à mes *chums*.
Pépère	— C'est ça, tu diras ça à tes *chums*...
Étienne	— Y m'a donné cinq piastres, mon parrain.
Pépère	— Ah! c'est fin! Qu'est-ce que tu vas t'acheter avec ça?
Étienne	— Je voulais m'acheter un petit *truck*. Mais je suis obligé d'en donner la moitié à Ernest.
Pépère	— Faut que tu comprennes que lui, son parrain y donne jamais rien... Y est *cheap*. C'est normal que tu divises avec ton jumeau... Tiens!... Achetez-le à deux, le petit *truck*.
Étienne	— Oui... je crois ben. Pépère, pouvez-vous me dire pourquoi on est jumeaux?
Pépère	— Ben ça, là, c'est des affaires qu'arrivent dans la vie. Tu viens au monde avec une autre personne...
Étienne	— Pourquoi j'ai pas pu venir au monde comme vous, par exemple, tout seul? C'est ça que je veux savoir.
Pépère	— C'est des affaires de la vie, hein!... C'est de même que c'est fait... Tu sais, des fois... C'est comme les poules, y pondent des œufs, hein... T'as déjà vu un œuf à deux jaunes? Ta tante Lina en envoie chez vous quand elle en trouve pour toi puis ton jumeau.
Étienne	— Oui, je sais. Maman nous appelle pour qu'on les regarde cuire dans la poêle.
Pépère	— Ben la poule, quand elle couve cet œuf-là, ça fait deux petits poussins qui sortent de là-

dedans. On appelle ça des jumeaux, des jumeaux poussins!

Étienne — Oui.

Pépère — Vous autres, c'était pareil de même.

Étienne — On était-tu dans un œuf?

Pépère — Vous étiez pas dans un œuf.

Étienne — C'est pas comme les poules?

Pépère — C'est les deux jaunes qui sont pareils comme vous autres.

Étienne — On est pas collés ensemble, nous autres.

Pépère — Non, mais vous êtes deux.

Étienne — Oui, mais on était où, nous autres?

Pépère — Vous étiez où?... Vous étiez où?... Pépère est comme perdu, là!... Tu connais la cigogne qu'amène les bébés?

Étienne — Oui.

Pépère — Bon ben, elle a amené deux petits pareils à ta mère puis à ton père.

Étienne — Maman a dit qu'y avait deux cigognes.

Pépère — Ah! Des fois, quand le bébé est trop pesant, là, y en mettent deux pour délivrer. Vous deviez être des gros bébés...

Étienne — Ah oui! Maman a dit huit livres, puis huit livres et demie.

Pépère — C'est sûr, une cigogne, ça peut juste porter neuf ou dix livres, c'est tout. C'est ça qui fait que tu t'es ramassé avec un petit frère ju-

	meau. C'est le *fun* d'avoir un frère jumeau; t'as eu un petit gars pour t'amuser depuis que t'es au monde.
Étienne	— Je joue pas toujours avec.
Pépère	— Pas toujours, mais souvent.
Étienne	— Des fois, j'aimerais mieux qu'on soit pas ensemble.
Pépère	— Ben voyons donc!
Étienne	— Comme ça, le monde nous mêlerait pas.
Pépère	— C'est des choses qu'arrivent, vous êtes jumeaux.
Étienne	— Pourquoi le monde nous distingue pas? Moi, je nous distingue... Je le sais que c'est Ernest quand je le vois.
Pépère	— Oui, tu le sais parce que t'es dans toi, puis quand tu regardes à côté, t'en vois juste un pareil comme toi. Mais le pauvre esclave, lui, qui vous voit juste une fois de temps en temps, comment tu veux qu'y fasse la différence? Pour lui, vous êtes pareils.
Étienne	— C'est juste qu'y font pas attention.
Pépère	— Tu dis ça, hein! Je vais te montrer quelque chose. (*Il va chercher une photo dans son portefeuille.*) Sur ce portrait-là, vous aviez deux mois. Peux-tu me dire lequel est Étienne puis lequel est Ernest? (*Étienne regarde.*) Hein? Peux-tu?
Étienne	— Ça, c'est moi.

Pépère	— Es-tu sûr?
Étienne	— C'est l'autre comme ça?
Pépère	— Ah! Tu vois, t'es mêlé, hein!
Étienne	— Non, non, c'est comme j'ai dit.
Pépère	— Ben non, justement! Ça, c'est Ernest, puis ça, c'est Étienne.
Étienne	— Comment vous savez?
Pépère	— Parce que quand j'ai pris le portrait, j'ai fait ben attention, puis après, je l'ai marqué en arrière. Tu vois, toi-même, tu t'es trompé... T'as vu deux petits bébés pareils, comme tout le monde.
Étienne	— Hum...oui... Ça veux dire que ça va être comme ça tout le temps?
Pépère	— Faut pas que tu te fasses du mauvais sang de même avec ça. Si tu commences à ton âge, mon petit garçon, t'as pas fini de pâtir. À part de ça, moi, je te trouve chanceux. J'aurais aimé ça avoir un jumeau, je serais peut-être pas tout seul aujourd'hui.
Étienne	— Ça serait drôle avoir deux pépères.
Pépère	— Ce serait pas deux pépères... Moi, je serais ton pépère, puis l'autre serait ton grand-oncle, même si y me ressemblerait. Tu vois la réaction que t'as eue. Ben le monde, y réagit pareil comme toi... Puis à part de ça, y a pas juste des petits malheurs qui t'arrivent; pense aux petits bonheurs que ça te donne aussi...

Étienne   — Y en a pas beaucoup.

Pépère   — C'est parce que tu veux pas les voir. Y en a
                 plein tous les jours! Prends quand vous jouez
                 dans l'escalier, que vous baragouinez je-sais-
                 pas-quoi, que personne d'autre comprend,
                 puis que vous riez comme des tordus... C'est
                 pas le *fun*, ça? Vous vous voyez pas aller,
                 vous autres, vous êtes toujours un pour l'autre,
                 du matin au soir! Quand Ernest a passé une
                 semaine à l'hôpital, je t'ai vu faire, tu tournais
                 en rond comme un ours en cage, puis chaque
                 jour, tu demandais quand est-ce qu'y allait
                 revenir. T'étais à la veille de tomber malade
                 pour aller le retrouver. Pour quoi faire, tu
                 penses? Parce que dans le fond de toi puis de
                 ton jumeau, dans le fond de votre cœur, y a
                 quelque chose de pareil qu'est unique. (*Un
                 temps.*) On en parle souvent, moi puis ta
                 mère; vous partez sur la même idée, le même
                 jeu, vous allez pour la même affaire... Prends
                 comme moi puis mémère. On a vécu ensem-
                 ble pendant cinquante-deux ans. Puis y a pas
                 à dire, on s'aimait... C'est la personne que
                 pépère aimait le plus sur la terre, la personne
                 que je connaissais le mieux. Tu peux voir,
                 après cinquante-deux ans, on se connaissait
                 dans tous nos petits secrets. Ben même à ça,
                 j'ai l'impression que vous avez quelque chose
                 qu'on avait pas entre nous autres. Tu vois,
                 deux personnes qui décident de faire leur vie
                 ensemble, y ont des efforts à faire, faut qu'y
                 apprennent à se connaître puis à s'aimer

aussi... Mais vous autres, on dirait que c'est déjà tout fait d'avance. C'est là en partant. C'est presque pas croyable quand on pense à ça. Imagines-tu comment ce serait beau si tout le monde sur la terre avait ça... C'est un privilège que t'as, mon petit garçon... Ça fait que conserve-le ben... T'as eu un cadeau en venant au monde, c'est ton petit jumeau.

Scène V

Février 1969. Les enfants sont à l'école. Maria s'occupe; Thomas marche péniblement de long en large.

Maria	— T'aurais pas dû aller marcher dans la neige de même, tu fais forcer ta jambe pour rien. Tu sais ce que les docteurs ont dit...
Thomas	— Si je les avais écoutés, je serais en train de rouler ma chaise, aujourd'hui. Je leur avais dit : «Vous me condamnerez pas dans une chaise roulante, je remarcherai!»
Maria	— N'empêche que, des fois, tu t'en demandes trop. (*Un temps.*) On a pas encore reçu le chèque du bien-être...
Thomas	— Attendre après un chèque du bien-être pour vivre, blasphème!... Je vais aller voir l'ingénieur au garage du gouvernement. J'ai entendu parler qu'y voulait refaire le chemin des Roy, y vont avoir besoin de terre.
Maria	— Encore chanceux qu'on a ça.(*Un temps.*) Tiens, la boîte à bois est vide!
Thomas	— Y en a plus de fendu, je crois ben?
Maria	— Non, non, j'ai été faire du feu dans la fournaise à matin, y en restait.
Thomas	— Y doit plus en rester ben, ben.
Maria	— Y en a assez pour la semaine.
Thomas	— Ça devrait être fendu depuis le mois de novembre, ce bois-là. Ça fait quatre mois que ça traîne. Du bois pas fendu, ça sèche pas, puis ça chauffe mal.
Maria	— Y est sec assez.
Thomas	— Va falloir que je parle à Étienne. (*Un temps.*) Misère du diable à y faire fendre ça!

Maria	— Exagère pas, Thomas.
Thomas	— C'est assez têtu, ça écoute pas. T'as beau expliquer, mais y veut rien comprendre. Ernest, quand t'expliques les affaires, y les fait comme du monde, comme un homme. Si son jumeau est capable, y est capable lui aussi.
Maria	— Peut-être que t'as pas le tour avec...
Thomas	— Prends l'autre jour, quand on a arrangé les armoires... Y m'a gâté une porte! On dirait qu'y fait exprès, y veut pas apprendre.
Maria	— C'est pas qu'y veut pas, Thomas...
Thomas	— Y étaient là tous les deux quand j'ai expliqué, y a pas écouté. Y avait la tête ailleurs. Y était dans la lune comme d'habitude.
Maria	— Peut-être que ça l'intéresse pas. Tu sais, y sont pas pareils tous les deux. On dirait que t'as jamais compris que c'est deux personnes différentes.
Thomas	— Ben voyons, Maria! Ça veut-tu dire qu'on va en laisser un faire à sa tête?... Y devrait pouvoir faire la même chose que son jumeau, y est aussi capable. On dirait qu'y fait exprès pour avoir les mains pleines de pouces. Tu trouves ça normal, toi, qu'y s'intéresse à rien, puis qu'y passe ses grandes journées dans la maison à faire des affaires de fille... C'est pas avec du fil à coudre que t'apprends à faire des nœuds coulants. Demande-toi pas pourquoi je suis pas capable de lui rentrer dans la tête

comment attacher un canot quand on va à la truite.

Maria — Y aime pas ça. Pourquoi tu l'amènes? Chaque fois, ça finit par une chicane. Veux-tu me dire pourquoi t'obliges cet enfant-là à aller à la truite? C'est pas parce que c'est des jumeaux qu'y faut qu'y fassent toute la même chose.

Thomas — Dans la vie, y a un chemin à suivre, puis Ernest le suit. Ça fait qu'Étienne va passer dans les mêmes traces.

Maria — C'est un enfant qu'a des goûts différents. As-tu seulement pris la peine d'aller voir le dessin qu'y a fait dans la chambre de la plus jeune... T'aurais demandé la même chose à Ernest, y s'aurait tanné; ça l'intéresse pas. Puis c'est pas à dire, y a passé du temps là-dessus, puis c'est ben fait.

Thomas — Un dessin... blasphème! Qu'est-ce que ça donne de savoir dessiner un Mickey? Peux-tu me dire?

Maria — Y a pas juste une sorte d'hommes sur la terre, Thomas. Tout le monde est pas obligé de savoir bûcher puis planter des clous; y a d'autres métiers dans la vie.

Thomas — On va finir par en faire une lavette, si ça continue...

Maria — Je veux pas t'entendre dire ça. Avec les notes qu'y fait à l'école, on peut l'envoyer aux études, puis y peut ben réussir dans la vie.

Thomas   — Imagines-tu ce que ça coûte...C'est pas avec
              le chèque de bien-être puis ma paye d'inva-
              lide qu'on pourra envoyer un enfant aux
              études. Va falloir qu'y fasse sa part pour la
              famille. Faut qu'y aille se chercher un métier,
              qu'y apprenne à travailler. Ça fait longtemps
              assez qu'y niaise.

Maria   — Le jardin, l'été passé, qui est-ce qui l'a fait?
              C'est Étienne. Ça faisait cinq ans qu'on en
              avait pas fait, ben on en a eu un des plus beaux
              de la paroisse.

Thomas   — C'est certain que c'est plus facile de faire un
              jardin que d'aller bûcher.

Maria   — C'est pas la même ouvrage, c'est tout. On
              était ben contents d'avoir des légumes frais
              pour rien, l'automne passé... Quand y entre-
              prend quelque chose, y le fait comme y faut.

Thomas   — Le bois, penses-tu qu'y le fait comme y faut?

Maria   — Écoute, Thomas, y a eu une entente là-des-
              sus. T'as décidé à l'automne que Jean-Marie
              puis Ernest le couperaient, que Claude puis
              Pierre le rentreraient et qu'Étienne le fen-
              drait. Y le fend! À sa manière, mais y le fend.

Thomas   — Comme si y avait cinquante mille manières
              de fendre du bois! Si y avait fallu qu'un des
              enfants tienne tête à Papa comme lui me fait
              là... Jésus-Christ du bon Dieu! Y aurait mangé
              une claque en arrière de la tête qu'a roulerait
              encore dans le chemin de Grande-Anse.

Maria	— Qu'est-ce que t'attends de cet enfant-là, Thomas?... Qu'est-ce qu'y a pas que les autres ont?
Thomas	— Y veut pas travailler. Là, samedi, y va descendre dans la cave quand son jumeau ira dans le bois, puis y va en fendre toute la journée. Y remontera quand son jumeau reviendra, pas plus que ça. Puis toute la semaine, après la classe, ça va être pareil.
Maria	— Le soir, Étienne, faut qu'y étudie.
Thomas	— Y est capable d'étudier comme son jumeau, après qu'y est revenu du bois.
Maria	— Ernest, y étudie pas quand y arrive, y est trop fatigué. Y réussit pas à l'école non plus... Tout ce qu'y a dans la tête, c'est de se faire de l'argent pour ses vieux chars. Puis j'ai pour mon dire que même si je le forçais à étudier, ça donnerait rien. Étienne, lui, y va ben à l'école, mieux que tous les autres, ça fait que c'est pas parce que son jumeau étudie pas que je vais te laisser y faire perdre son année pour aller fendre du bois dans la cave. J'ai pas de trouble avec lui, puis tu vas le laisser tranquille durant la semaine.
Thomas	— C'est ça, on va le laisser faire à sa tête, c'est lui qui va mener dans la maison.
Maria	— Voyons donc, Thomas! Tu fais exprès pour t'acharner sur lui.
Thomas	— Je le fais passer par le même chemin que les autres.

Maria	— Vas-tu te mettre ça dans la tête : y est différent!
Thomas	— Y est pas différent, y est contraireux! Si y faut, j'y *tapperai* la hache sur les mains, *chrips* ! Y la lâchera pas tant qu'y aura pas fini son bois.
Maria	— Thomas, tu vas m'écouter!... Je te défends d'empêcher cet enfant-là d'étudier, tu m'as ben compris? Je te défends! Y a ton frère qui voulait aller aux études, puis ta mère s'était entêtée à vouloir en faire un fermier. Elle en a-tu fait un fermier?... Elle était pas aussitôt frette qu'y a tué tous les animaux dans la grange; y reste même plus une poule chez vous. Quand tu forces un enfant à faire quelque chose où y a pas d'intérêt, y faillit sa vie. Ça fait que tu vas lâcher Étienne tranquille. Je vois pas pourquoi on ferait la guerre dans la maison, puis je sais que c'est là que ça va en venir, parce que vous êtes aussi têtus l'un comme l'autre.
Thomas	— Y est peut-être aussi têtu que moi, mais y va plier ou y va casser. C'est moi le père, icitte.
Maria	— Tant qu'y aura du bois de fendu dans la cave, je veux pas t'entendre picârer dessus. Si y faut, je me mettrai entre vous deux, mais je vais régler ça une fois pour toutes.
Thomas	— Blasphème! C'est ben juste parce que je suis emmanché de même...
Maria	— C'est ben de valeur, Thomas, j'attendrai pas que tu l'aies tué pour que ça aille comme tu

veux. Tu raisonnes plus, tout ce que tu veux,
c'est qu'y casse.

Thomas

— Si c'est ça, je vais le fendre le bois. Je vais le
fendre jusqu'à la dernière bloc. Mais avant la
fin de février, y va être fendu!

Maria

— Tu descendras pas dans la cave fendre pour
m'arriver en haut avec une crise. J'ai déjà
assez de misère comme ça. Ça suffit! Tu vas
lâcher Étienne tranquille, puis le bois, tu le
toucheras pas. M'as-tu ben compris, là?
(*Thomas sort.*)

Scène VI

1974. Les jumeaux ont dix-neuf ans. Ernest revient de l'armée
après deux ans d'absence; Étienne est seul à la maison.

Ernest	– (*À lui-même.*) Tabarnac! Où c'est qu'y sont tous? (*Il crie.*) Y a quelqu'un?
Étienne	– Oui?
Ernest	– (*En folie.*) Y a-tu quelqu'un? Y a-tu quelqu'un ici? Si y a personne ici, moi, je me crosse.
Étienne	– *Too bad*, y a quelqu'un.
Ernest	– Ah ben christ!
Étienne	– Salut, *man*!
Ernest	– Salut, *man*! (*Ils se font un rituel de retrouvailles.*)
Étienne	– *How are you, man!*
Ernest	– *Not bad, not bad.*
Étienne	– *Well, well, well, happy to see you, happy to see you. How come you're here, you?*
Ernest	– *I decided to arrive, to arrive, to come back home... come back home.*
Étienne	– *G.I. Joe, back home.*
Ernest et Étienne	– (*Ils chantent.*) *G.I. Joe*, le plus beau sur la terre et dans les airs...
Étienne	– Comme ça, l'armée voulait plus de toi?
Ernest	– C'est moi qui en voulais plus.
Étienne	– T'aimais plus ça?
Ernest	– Ç'a été le *fun* tant que j'ai été là, ben en dernier, j'étais écœuré. Les tabarnacs... y

voulaient pas me donner mon *posting*, ça fait que j'ai dit : «De la calice de marde, je chrisse mon camp.»

Étienne — Où est-ce que tu voulais aller?

Ernest — Moi, j'avais choisi Chatham, Gagetown ou Moncton, calice! Y m'ont sacré dans l'Ouest canadien, les tabarnacs!

Étienne — Écoute donc, c'est-tu bien long, le cours pour apprendre à sacrer de même?

Ernest — Ça dépend de tes facilités avec la langue, vois-tu. Moi, tabarnac, un mois, puis c'était fait! Intensif, par exemple.

Étienne — Je croirais, puis t'as dû faire des maudites bonnes notes... Hé! c'est maman qui va être fière de voir ton diplôme.

Ernest — C'est rien, ça, j'en ai ramassé six.

Étienne — Six en deux ans! C'est quoi le dernier en liste?

Ernest — Certificat de libération honorable...

Étienne — Vas-tu poigner une *job* avec ça?

Ernest — Je mise plus sur le cinquième : *plumber gas fitter six-thirteen. I've got the plumbing but not the gas fitting*, parce que j'ai pas fini mon cours. Ça fait que : *fuck you all and salute your Majesty.*

Étienne — Comme ça, t'as pas trouvé ça dur?

Ernest — Y te font croire que c'est dur, tabarnac! Tu sais, je veux dire, je me verrais pas arriver sur le champ de bataille avec un *pipe wrench.* (*Ils rient.*) Où est-ce qu'est tout le monde?

Étienne — Tous partis à la messe.

Ernest — Qu'est-ce que tu fais ici, toi?

Étienne — J'ai lâché la soutane!

Ernest — Ah ben! Ah ben! Ah ben! *Goddamn.* (*Il regarde autour de lui.*) Je te dis qu'en deux ans, ç'a changé ici dans... Qu'est-ce qu'est arrivé, gagné le gros lot?

Étienne — Gagné le million!

Ernest — Vous avez pas pensé rebâtir à neuf?

Étienne — C'est papa qu'a pas voulu! Non, non, c'est le père qui a commencé à travailler sur les quais. Y a de l'argent qui rentre.

Ernest — Y doit être fier!

Étienne — Ah oui! Y est ti-*boss*... Y est ti-fouette. Tu peux voir si y est pas éjaré puis énervé... Y nous arrive tout gonflé comme un coq. Sacrement!

Ernest — (*Il rit.*) Y a pas changé...

Étienne — Y a pas changé, y est pire! C'est tout ce qu'on entend parler, les quais du gouvernement.

Ernest — Christ, y est content tabarnac! Ça faisait onze ans qu'y travaillait pas... En tous cas, c'est plus la même maison : la peinture neuve, le frigidaire, le *cushion floor*, le poêle...

Étienne — C'est le plus gros changement qui s'est fait dans le village... Ben y sont tous venus visi-

ter, toute la *gang*, ah oui! Ç'a descendu jusque de par en-haut... Y sont tous venus passer
par la cuisine à Thomas... La Chiqueuse est
descendue : «Ça paraît que ça travaille pour
le gouvernement!» Comme de raison La Char-
rue a regardé partout, jusque dans les cham-
bres : «L'année prochaine, vous aurez une
maison finie, si ça continue à aller ben de
même.» Matante Souveraine...

Ernest	— (*Il continue l'idée d'Étienne.*) Me semble que je l'entends : «D'après ce que je peux voir, vous aurez plus besoin de boîtes des États!»
Étienne	— Le dernier qu'est venu, c'est *God-the-God*, y a pas pu s'empêcher : «Frigidaire puis *cushion floor* neuf, *God the God*, ça paraît que c'est plus les chèques du bien-être qui rentrent.»
Ernest	— Christ, vous auriez dû les faire payer, vous auriez pu faire finir le haut! (*Ils rient.*)
Étienne	— À part de ça, tu sais pas quoi? Plus de bois à fendre... garde les petites bouches d'aération.
Ernest	— Ah ben tabarnac! Pas le chauffage central?... Ciboire, tu dois t'ennuyer!
Étienne	— Hé! tu sais pas qu'est-ce que j'ai fait? J'ai descendu dans la cave, j'ai pris la petite scie à papa, puis j'ai tout coupé les manches de hache en bouts de six pouces.
Ernest	— Ah ben! Ah ben! Ah ben!... Où est-ce qu'est Jean-Marie? Y est pas à messe toujours?
Étienne	— Non, non, non...

Ernest	— Où est-ce qu'y est?
Étienne	— Jean-Marie, mon homme, y s'est loué un pinereau dans le bout de Lebouthillier.
Ernest	— Ah ben tabarnac!
Étienne	— Y s'est accoté avec la fille à Savoie.
Ernest	— Elle qu'on appelait Le-pétard-à-beau-cul?
Étienne	— Oui, mon homme, Le-pétard-à-beau-cul!
Ernest	— Ah ben! Ah ben! Ah ben!... (*Ils rient.*) Puis la mère, elle, toujours aussi chialeuse?
Étienne	— Pas plus qu'avant.
Ernest	— Toujours quelqu'un à éplucher : Bzzz Edna bzzz Walter bzzz la fille à Laté bzzz mémère bzzz, ça arrêtait juste le soir un coup qu'elle était couchée, un vrai calice de bourdon! Elle a dû siffler quand Jean-Marie s'est accoté. Tabarnac, j'aurais aimé être là pour lui voir la face tomber quand l'autre y a dit ça! Puis toi, après ta douzième, qu'est-ce que t'as fait?
Étienne	— J'ai été travailler chez les vieux! J'étais concierge du côté des malades. Un *fun* bleu, toi! Surtout quand le *flu* a passé. T'aurais dû voir ça : un pauvre vieux, quand ça arrive devant un bol de toilette, ça le regarde de front, ça baisse ses culottes, puis ça se tourne pour s'asseoir. Ben quand ç'a le *flu*, la piplette du trou leur dilate en tournant... y te font un beau *design* sur le mur blanc... frotte, asteure. (*Ils rient.*) J'ai fini par donner ma *notice* puis je suis sur le chômage depuis ce temps-là.

Ernest	— Tiens, je serai pas tout seul, on va être deux.
Étienne	— Mais moi, je rentre à l'Université de Moncton en septembre.
Ernest	— Ah! la bol... les hautes études! La mère va être contente, y va avoir la place d'en haut. Qu'est-ce que tu vas étudier?
Étienne	— L'histoire puis la géographie.
Ernest	— Comme ça, tu vas t'installer à Moncton.
Étienne	— Je me suis loué un beau petit appartement, je vais être bien.
Ernest	— Y aura plus grand monde à la maison. Ça me tente pas de rester ici tout seul comme un pion.
Étienne	— Tu peux te louer un appartement à Caraquet.
Ernest	— On sait ben, je suis en chômage, je pourrais toujours aller à Moncton avec toi. On resterait ensemble.
Étienne	— L'appartement, c'est rien qu'un trois et demi.
Ernest	— C'est pas grave, ça, calice, on s'organisera. Plus tard, on en prendra un plus grand.
Étienne	— Y a pas grand *job* à Moncton, même les étudiants ont ben de la misère à se trouver de l'ouvrage. Je pense que t'aurais plus de chance ici. Y a Jean-Marie qui parlait de partir une compagnie. Y s'occuperait de l'électricité puis toi de la plomberie. Y disait ça, l'autre jour, qu'y avait hâte que t'arrives pour t'en parler.

Ernest	— (*En riant.*) Écoute donc, saint ciboire, tu veux pas que j'aille à Moncton?
Étienne	— C'est pas ça... J'aimerais ça être tout seul là-bas... Vois-tu, ça serait la première fois que j'aurais personne de la famille alentour. La première fois de ma vie que je serais tout seul.
Ernest	— Voyons donc, t'es ben sauvage tabarnac!
Étienne	— Non, Ernest, tu comprends pas. Tu vois, ça fait deux ans qu'on vit chacun nos affaires... puis de se ramasser de nouveau ensemble, ce serait comme... reculer en quelque part.
Ernest	— Sacrement, qu'est-ce que tu veux dire?
Étienne	— C'est que... tu comprends... ma vie a changé depuis deux ans... Je me suis détaché du fait qu'on est jumeaux. J'ai appris à vivre comme tout le monde... tout seul.
Ernest	— Tu veux dire que je te bâdrais avant?
Étienne	— Non, c'est pas ça...Tu vois, depuis que t'es parti, on me compare plus à toi, c'est fini.
Ernest	— Où c'est que tu veux en venir?
Étienne	— Si tu viens à Moncton, ça va recommencer les comparaisons, puis ça me tente pas, on va tomber dans le même panneau.
Ernest	— Tabarnac, Étienne! Y a pas juste les histoires de comparaisons. Si tu *badtrip* là-dessus, calvaire, tu vas en avoir pour le restant de tes jours!
Étienne	— Je peux pas te dire autre chose, c'est tout ce que j'ai vécu. Toute notre vie, le monde a pas

arrêté de nous comparer de tous bords tous côtés; je me faisais même dire que j'avais les dents croches pour nous différencier.

Ernest — C'est pas de ma faute moi, tabarnac, si le monde est fou!

Étienne — Ben christ! Y me comparaient pas à Jean-Marie, à Pierre ou à Joe Blow, y me comparaient à toi! C'est correct de se voir de même, mais si tu continues à me suivre partout comme une queue de veau...

Ernest — Ciboire, faut toujours ben pas exagérer!

Étienne — T'étais présent partout! Tout le monde me comparait à toi!... Quand c'était pas à la maison, c'était à l'école, puis quand c'était pas là, c'était ailleurs.

Ernest — Ben christ! Y m'ont fait la même chose! Pourquoi tu penses que je parlais jamais aux filles à l'école. T'es-tu déjà posé la question?... Parce qu'y me disaient que j'étais moins intéressant que mon jumeau, calice. Je t'ai-tu blâmé pour ça? Je dis-tu que c'est de ta faute, tabarnac?... Qui est-ce que maman trouvait tellement fin : «Lui, au moins, y donne pas de trouble, y est pas comme son jumeau.» C'était moi le jumeau, calice! Quand j'ai doublé en neuvième année, elle a pas dit un christ de mot : ben non, y est venu au monde bleu, celui-là... Tout le monde pensait que j'étais moins intelligent que toi... Penses-tu que je m'en suis pas aperçu? Ben je l'ai pris, ciboire, puis je l'ai gobé.

Étienne	— Moi, ç'a tout resté pogné en dedans. Comment de fois que le père ma pioché dessus parce que je faisais pas pareil comme toi... Sais-tu quand ç'a arrêté? Quand t'es parti!... C'est drôle, hein, du jour au lendemain! C'était fini, les comparaisons, le miroir était plus là. J'étais assez ben que j'ai fini par croire qu'y était cassé, mais si y revient, c'est moi qui vais le casser! On a plus dix ans pour jouer aux petits jumeaux puis *stepper* ensemble. On arrive à vingt ans, faut commencer à se lâcher.
Ernest	— Qui est-ce qui te dit que j'ai pas changé? Ça fait deux ans que je suis parti, tabarnac!
Étienne	— T'es allé dans l'armée!... T'as passé deux ans avec toutes des pareils, puis tu reviens pour retrouver ton pareil.
Ernest	— Calice, tu dis n'importe quoi!
Étienne	— En tous cas, moi, je veux plus vivre ça. Tu prends trop de place! On a vécu ce qu'on avait à vivre, on a vécu dix-sept ans ensemble; puis là, tu t'accroches encore à moi.
Ernest	— J'essaye seulement de vivre quelque chose avec toi.
Étienne	— Ça va juste être à recommencer. Déjà, matante Lina t'attend pour nous comparer, pour voir si on se ressemble encore. Ça me tente pas d'arriver à Moncton puis que le monde me fasse rire pour me reconnaître. Je veux pas que tu me suives à Moncton, je veux y aller

tout seul. J'ai plus besoin de toi. T'avais pas besoin de moi, là-bas, les deux ans que t'étais parti?...

Ernest — Oui, j'avais besoin de toi...

Étienne — Ben pas moi! Je veux plus te voir alentour, c'est simple. Je veux plus, fini, n, i, ni. Si y faut que je te le dise ben clairement, je te défends de venir t'installer à Moncton. Je veux plus que tu reviennes dans ma vie. M'as-tu compris? Je veux plus être ton jumeau, je veux plus être deux, je veux plus être jumeau!

Scène VII

C'est l'été 1975. Thomas fait les cent pas, absorbé dans ses pensées; Étienne lit le journal. Il est dix heures du soir.

Thomas	— Je pourrai pas monter voir ta mère en fin de semaine...
Étienne	— Ah non?
Thomas	— Faut que je travaille. C'est les grandes marées, faut arranger le quai de l'Anse-Bleue; on peut pas perdre cette chance-là. (*Un temps.*) C'est maudissant que c'est si loin, l'hôpital, ça prend presque une journée à se rendre!... À part de ça, y s'attendent de la garder plus longtemps.
Étienne	— Comment ça?
Thomas	— Elle a des complications avec un rein.
Étienne	— Qu'est-ce qu'arrive?
Thomas	— Ah! Y semble qu'y s'est bouché. Y craignent d'être obligés de la réopérer.
Étienne	— Elle était supposée sortir dans deux semaines.
Thomas	— Oui... ben là, ça va aller à la fin d'août certain, peut-être plus. Je sais pas comment je vais m'arranger avec les trois qui recommencent l'école.
Étienne	— Inquiétez-vous pas, je vais rester jusqu'à ce que l'université commence, puis Lucille a dit qu'elle se mettrait sur son chômage pour prendre la relève.
Thomas	— Eh petite misère!...(*Un temps.*) Ça faisait à peine deux ans que je travaillais, puis c'est elle qui tombe. Pauvre Mia, comme si elle avait pas déjà assez enduré... Qu'est-ce que

tu veux, c'est la vie, je crois ben. (*Un temps.*) Ça peut-tu sentir bon du pain frais... T'es ben *smarte* de faire tout ça... Je vais m'en prendre une tranche avec de la mélasse. Y goûte le pain à Maman...(*Il accroche sa jambe.*) Eh maudite patte! (*Un temps.*) En tous cas, y est bon ton pain...

Étienne — C'est correct, je le sais.

Thomas — C'est vrai, y est bon.

Étienne — C'est drôle, ça, quand j'étais plus jeune, faire du pain, c'était pas *smarte*... Ça change avec les années, hein?

Thomas — Tu prends pas les compliments ou quoi?

Étienne — Mettons que j'ai pas envie de l'entendre.

Thomas — Tu fais penser à ta mère, on peut pas y donner de compliments.

Étienne — J'en ai déjà fait, du pain... je sais pas comment de fois, puis vous avez jamais porté attention. Maman avait beau vous dire : «C'est Étienne qu'a fait le pain». Tout ce que vous disiez, c'était : «Ouais». C'est tout ce que j'avais. Ça fait qu'y est un peu tard aujourd'hui pour venir me dire que mon pain est bon.

Thomas — Je te le disais quand c'était correct!

Étienne — Je sais pas comment de temps j'ai attendu pour un compliment comme vous venez de me donner... Ça fait vingt ans que j'attends. Aujourd'hui, y est trop tard. Ça tombe comme dans un grand trou... Ça fait de l'écho... Y'a-tu une affaire que j'ai faite quand j'étais petit qu'était correcte. C'est difficile à trouver, hein? Cherchez pas, parce que pour vous, la seule personne qui était correcte, c'était Ernest. Ben sûr, y était votre modèle. Vous étiez assez entêté qu'y fallait toujours faire comme vous vouliez.

Thomas — C'est pas juste une question de modèle.

Étienne — Qu'est-ce que c'était?

Thomas — Un garçon, faut que t'élèves ça pour en faire un homme.

Étienne — Un homme dans la vie, c'est une affaire comme vous?... Pour vous, y a seulement une sorte d'hommes. C'est ben de valeur, papa, y en a plus qu'une sorte; la preuve, c'est que moi, je suis là.

Thomas — En d'autres mots, tu me blâmes de la façon que je t'ai élevé.

Étienne — Vous m'avez pas élevé, vous m'avez comparé. Vous avez pas vu qui j'étais. Fallait que je sois comme Ernest, y avait pas d'autres manières d'agir. Y était chanceux, lui, y vous ressemblait comme deux gouttes d'eau. C'était pas moi son jumeau, c'était vous!

Thomas — Fallait que je t'apprenne à travailler, toi aussi.

Étienne — Qu'est-ce que vous m'avez appris à part de me faire comprendre que j'étais une lavette?

Thomas — Je t'ai jamais dit ça.

Étienne — Vous m'avez jamais dit ça... Y a pas une fois que j'ai travaillé avec vous, pas une, que vous m'avez pas dit que j'étais un impotent, que je savais pas me servir de mes dix doigts, que j'avais les doigts dans le cul, puis envoye, puis ben d'autres. Vous me mettiez assez sur les nerfs, sacrement, que je pouvais même pas cogner sur un clou sans passer à côté. Pas plus tard que la semaine passée... j'étais en train de faire les étagères dans le garage. Vous êtes arrivé, puis vous m'avez encore pioché dessus : «C'est pas de même, ta planche est pas droite.»

Thomas   — J'ai essayé de t'expliquer comment ça se faisait.

Étienne   — Sacrement! Toutes les autres planches étaient placées droites... Vous avez tellement le tour de me mettre sur les nerfs, vous avez tellement le tour... c'est tellement... je m'enrage assez après moi quand je vous vois arriver puis que les nerfs me pognent. Sacrement!

Thomas   — Je comprends pas où c'est que tu veux en venir avec tout ça?

Étienne   — Vous comprenez pas, vous comprenez jamais rien. Vous avez jamais rien compris.

Thomas   — Eh là! Y a toujours ben des limites! C'est à ton père que tu parles.

Étienne   — Non, non, non, non... Ça fait trop longtemps que je l'entends, celle-là. Je vais vous dire, moi, c'est à votre fils que vous parlez, puis votre fils a vingt ans. On est deux hommes puis on va se parler entre quatre trous de z-yeux.

Thomas	— Qu'est-ce que tu veux que je te dise?
Étienne	— Rien. Je veux seulement que vous sachiez ce que vous avez fait.
Thomas	— Si je t'ai fait pâtir, c'était pas dans mon intention.
Étienne	— Vous avez jamais pris ce que j'étais, ce que j'étais dans le fin fond de moi-même... Je me suis déjà vu arriver de l'école avec un quatre-vingt-dix pendant qu'Ernest avait un quarante. Vous souvenez-vous qu'est-ce que ç'a été, mon encouragement, hein? Y avait une butte de terre dehors, vous me l'avez envoyé pelleter. Je l'ai pelletée la butte de terre... À chaque coup de pelle que j'ai donné, j'ai dit : «Jamais y m'empêchera de faire ce que je voudrai, jamais.» Vous m'avez pas empêché non plus. Si je suis à l'université aujourd'hui, c'est pas grâce à vous... Puis vous m'endurez cet été parce que vous êtes obligé, vous êtes pogné, y a seulement moi qu'ai le temps de faire ce qu'y a à faire dans la maison.
Thomas	— Eh! Écoute là! Faut toujours ben pas ambitionner! Si c'est comme ça, ben fais-les plus. Si tu le prends de même, fais-les plus, je m'organiserai autrement.
Étienne	— Ça non plus, je le prends pas, c'est une autre de vos portes de sortie. L'orgueil... Le maudit orgueil des Mallet! Puis d'abord, c'est pas pour vous que je fais ça, c'est pour maman. Ça, c'est vous... la porte de l'orgueil pour avoir raison, toujours raison. Rappelez-vous

quand j'ai eu seize ans. J'étais pas rentré coucher. Quand j'ai voulu vous expliquer ce qui s'était passé, j'ai pas eu le temps de dire un mot que vous m'avez tombé sur le corps.

Thomas — T'étais toujours ben juste un enfant de seize ans. Fallait prendre soin de toi.

Étienne — On a beau prendre soin de quelqu'un, mais faut l'écouter aussi. Je venais vous expliquer ce qui m'était arrivé. J'avais passé la nuit blanche dans un hôpital, j'avais pas passé ma nuit à voler. La seule chose que vous avez trouvé à me dire, c'est : «Tais-toi, je suis ton père...» Tout ce que pensiez, c'était que la prochaine fois que j'allais venir me rebuter contre vous, vous alliez me casser comme y faut. Faut que ça casse. Faut que ça casse à ta main!

Thomas — Faut toujours ben élever ça, des enfants.

Étienne — Faut les élever, justement, les élever, faut pas les caler. Le mot «élever», c'est ça. (*Fait un geste de la main.*) Faut pas les écraser, les casser. Ben moi, vous m'avez assez écrasé que tout ce que vous avez réussi à casser, c'est l'amour que j'avais pour vous... Je vous aimais avant, quand j'étais petit... Je vous trouvais correct, je vous trouvais super, maman disait seulement du bien de vous... vous étiez un homme capable, un homme courageux... Mais à force de vouloir me casser, j'ai fini par vous haïr... Aujourd'hui, vous me donnez un compliment, puis je suis même pas capable de le prendre. Tout ce que je peux vous dire, c'est que je vous haïs.

Thomas — (*Un long silence.*) En tout cas, si ça donné ça, ce que j'ai fait, c'est pas ce que je voulais. (*Un temps.*) Je sais pas quoi te dire... je sais vraiment pas quoi te dire... (*Un temps.*) J'ai cru ben faire. Pauvre petit gars, j'ai pas vu... j'ai pas vu... Jamais j'aurais pensé qu'un jour, un de mes enfants me haïrait. (*Un temps.*) Quand t'élève des enfants, t'as la charge d'eux autres. C'est toi qui leur donne le modèle... c'est toi le modèle. J'en ai eu un moi aussi, c'était mon père. C'est tout ce que je connaissais... (*Un temps.*) Bon ben, je pense que je vais aller me coucher, moi-là... (*Un temps.*) Je te remercie mon garçon... je te remercie de m'avoir parlé. (*Il sort.*)

Scène VIII

Février 1986. La scène se passe dans l'appartement d'Étienne, à Moncton. Les jumeaux ne se sont pas vus depuis deux mois.

Ernest	— Bon ben, c'est fait.
Étienne	— Je te remercie d'être venu réparer ça.
Ernest	— C'est rien, c'était pas grand-chose... Quand papa m'en a parlé l'autre jour, je me suis dit : «Je passerai lui arranger ça.» (*Essayant de blaguer*.) De toute façon, je t'enverrai ma facture.
Étienne	— (*Un temps*.) Passé une bonne journée?
Ernest	— Ç'a été correct, comme d'habitude... des toilettes bouchées, des éviers à changer, des affaires de même. Mais là, y pensent peut-être avoir un gros édifice à faire en ville.
Étienne	— La nouvelle bâtisse du gouvernement?
Ernest	— Oui. Ça va être intéressant de travailler dans le neuf. Tu sais, aller déboucher la merde des autres... Je te dis que, des fois, je suis pas gêné de leur demander cinquante piastres de l'heure. (*Un temps*.) Toi, à l'école, comment ça va?
Étienne	— Ça va bien. J'ai des jumelles qui sont arrivées dans ma classe après les Fêtes.
Ernest	— Ah oui!
Étienne	— C'est la mère qu'est venue les reconduire, une Québécoise pure laine de Montréal. (*Il caricature l'accent montréalais*.) Elle l'avait l'accent, franchement, réellement, Armand...
Ernest	— Est-ce qu'y se ressemblent, tes petites jumelles?

Étienne	— Ah oui, beaucoup!... À part ça qu'elles sont habillées pareil, pauvres petites filles! Je les regarde aller, c'est exactement la même chose que nous autres.
Ernest	— Ça va changer, je crois ben, à un moment donné.
Étienne	— Y en a que ça change jamais, comme les jumelles à Raymond.
Ernest	— Ah oui! les jumelles à Raymond Chiasson!
Étienne	— Ben faut dire que c'est pas des cent watts.
Ernest	— À deux, elles tapent ben juste soixante.
Étienne	— On devrait les inviter à la biennale des jumeaux, ça leur ferait peut-être du bien...
Ernest	— Au fait, as-tu reçu des nouvelles de la biennale?
Étienne	— Y nous ont envoyé des formulaires d'inscription, je les ai retournés avec le paiement.
Ernest	— C'est combien?
Étienne	— Deux cents. C'est pour la fin de juillet, pendant tes vacances.
Ernest	— Justement, je voulais t'en parler... je sais que c'est plate pour toi, mais je... j'irai pas, finalement. J'ai décidé d'aller en Europe cet été avec Florence.
Étienne	— En Europe! On avait planifié des vacances ensemble. Même les inscriptions sont faites. C'est pas grave, je crois ben...

Ernest	— De toute façon, c'est pas moi qui avais décidé d'aller à cette biennale-là.
Étienne	— Ah! parce que t'avais pas décidé!
Ernest	— C'est toi qui voulais y aller.
Étienne	— Comment ça se fait que tu m'as pas dit que tu voulais pas venir quand c'était le temps?
Ernest	— Parce que j'ai pas été capable.
Étienne	— Ah! C'est ça...
Ernest	— Tu m'as dit : «On va aller à la biennale cette année, ça va être le *fun*.» Si tu te souviens bien, t'as même pas posé la question. Pour toi, c'était sûr que j'y allais. Puis avec ce qui se passe entre nous autres ces temps-ci...
Étienne	— Sacrement! À quoi tu joues? T'arrives ici comme si de rien n'était, la première chose que tu me dis, c'est qu'on va pas à la biennale, puis moi, je serais supposé d'avaler ça. Pour qui tu me prends?... C'est pour ça que t'es venu ici, pour m'annoncer ça?
Ernest	— Écoute, Étienne, ç'a pas été simple pour moi de venir ici après-midi.
Étienne	— Y a personne qui t'obligeait.
Ernest	— J'ai besoin qu'on se parle.
Étienne	— Qu'on se parle! Pendant un mois, je t'ai téléphoné; pendant un mois, j'ai essayé de te rejoindre. T'étais jamais là ou t'avais jamais le temps. Moi, niaiseux, ça m'a pris tout ce temps-là pour comprendre que tu voulais plus me voir.

Ernest	— Je me comprenais plus, Étienne. Depuis deux mois, j'ai l'impression de toute revoir ma vie, de me débattre avec moi-même pour exister.
Étienne	— T'aurais pas pu le dire?
Ernest	— J'avais besoin d'être tout seul, Étienne, sans permission, sans culpabilité. (*Un temps.*) J'ai basculé en-dedans de moi au moment où je pensais perdre ma blonde. Je savais que si j'allais vers toi, c'est moi que je perdais. J'ai réalisé des choses importantes, Étienne. Y a des affaires qui ont changé pour moi, c'est normal, qu'y a des choses qui changent pour toi aussi.
Étienne	— Ça va pas changer, Ernest, ça va se répéter. C'est la même histoire que lorsqu'on était petits, puis que t'as décidé de t'en aller avec Jean-Marie. J'existais plus. T'as préféré Jean-Marie à tout ce qu'on était tous les deux. J'avais neuf ans puis je me suis senti plus orphelin qu'à la mort de maman. (*Un temps.*) C'est toi que j'aimais le plus. (*Un temps.*) C'est ça que tu voulais entendre... c'est toi que j'aimais le plus. (*Un temps.*) Aujourd'hui, tu t'en vas avec Florence de la même manière. Tu me laisses tout seul. Ça me rend fou de penser que la personne que j'aime le plus au monde m'a abandonné, puis c'est encore ce que tu es en train de me faire...
Ernest	— Je ne veux pas t'abandonner, Étienne, j'essaye de trouver un équilibre. Ça me fait penser à une balance, qu'y en aurait toujours

un en haut, puis l'autre en bas. Pourquoi tu penses que j'ai pas été capable de te dire non quand tu m'as dit : «On va à la biennale»? Parce que j'avais peur de te perdre, Étienne. Pourquoi ça a presque cassé entre moi puis Florence?... Parce que j'avais peur de te perdre. On va pas traîner ça toute notre vie. Tu vois pas que c'est rendu un cercle vicieux. Faut qu'on fasse l'équilibre dans la balance. Faut régler ça entre nous deux. Si on continue, on va se détruire.

Étienne — Ça veut dire qu'y faut s'éloigner l'un de l'autre?

Ernest — Non, Étienne, ça veut dire vivre autre chose... arrêter de se faire mal, de s'écraser, d'avoir peur, se faire confiance en quelque part. Ça fait assez longtemps qu'on blâme l'autre pour ce qu'on vit. Je voudrais qu'on essaie de comprendre ce qu'on est l'un pour l'autre... je me perds dans ça, Étienne... La seule chose dont je suis sûr, c'est que je t'aime... Ça me fait drôle de te dire ça... Des fois, je t'aime plus que moi-même, c'est ça qui est pas normal. J'ai besoin de temps pour mettre ça en place, pour me retrouver. (*Un temps.*) Je suis en amour avec Flo, Étienne... Je l'aime... Ça me rend heureux, profondément heureux... Mais aussitôt que t'es alentour, c'est comme si j'étais tiré par les deux bras, je me dis que ça va finir par déchirer. Sais-tu pourquoi je me sens comme ça? Parce que j'ai pas appris à faire confiance à l'amour... C'est comme si c'était pas possible que tu m'aimes autant que je t'aime... Je voudrais qu'on aille plus loin ensemble, Étienne... mais avant, faudrait qu'on apprenne à marcher tout seul... (*Un temps.*) Je devrais essayer d'écrire un livre là-dessus.

Étienne — Je pourrais écrire la préface...

Ernest — Penses-tu que t'en aurais assez?

Étienne — Je sais pas...

Ernest — Aimes-tu mieux que je te laisse un chapitre?... OK!, comme d'habitude, t'en feras la moitié, puis je ferai l'autre... Je fais des efforts moi là, Étienne...

Étienne — Je vois ben ça.

Ernest — J'ai même réparé ta toilette.

Étienne — Eh que t'es niaiseux!

Ernest — C'est normal, y en a toujours un comme ça, chez les jumeaux. Compte-toi chanceux, regarde les jumelles à Raymond.

Étienne — Y sont peut-être moins pognées que nous autres, va savoir?...

Ernest — Peut-être, mais nous vois-tu vivre ensemble à Mallet Office? C'est les bessons à Thomas, sur leur bicycle double, qui s'en vont à la *shop* à poissons.

Étienne — Y n'a un qu'est éverreux, puis l'autre nettoie les quarts.

Ernest — Y restent avec leur père.

Étienne	– C'est eux qui gardent le vieux.
Ernest	– Ah! Thomas, c'est ses bessons qui le gardent.
Étienne	– Y paraîtrait qu'y étiont pas capables de se séparer...
Ernest	– Ah ben! Ah ben! Ah ben!... Bon, moi, je vais y aller, Étienne.
Étienne	– Hum, hum.
Ernest	– Salut.
Étienne	– C'est ça, salut.

❀ Ville de Montréal **MR** **Feuillet**
C
842.914 **de circulation**
D

À rendre le		
1 3 AVR '95	2058 ∅	
Z 17 MAI '9:		
Z 2 7 SEP '95		
Z 18 JAN '96		
Z 17 MAR '96		
Z 30 AVR '96		
Z 2 8 OCT '97		
Z 31 MAR '98		
Z 04 MAR '99		
Z 06 NOV '99		
26 JAN 2000		

06.03.375-8 (05-93)

MARQUIS
Montmagny, Qc
juillet 1993